Corine Pourtau

Illustrations de
Bernard Grandjean

Flocon d'Argent

PRINCESSE MODERNE

méthode de lecture CE1

© Hatier, Paris, 2003 - ISBN 978-2-218-73755-8
Loi n° 49956 du 16 juillet 1949
sur les publications destinées à la jeunesse.

Maquette : Yves Le Ray

Achevé d'imprimer par Pollina - L22730
Dépôt légal n° 73755-8/15 - Janvier 2011

Il était une fois un roi et une reine qui n'avaient pas d'enfant. Exactement comme dans les contes, allez-vous penser. Eh bien oui, exactement comme dans les contes ! Sauf que dans les contes, il existe toujours une bonne fée qui exauce les vœux et finit par faire naître un enfant.

Le problème, pour notre roi et notre reine,
c'est qu'ils étaient un roi et une reine
d'aujourd'hui et tout le monde sait bien
qu' aujourd'hui, les fées n'existent plus.
Vous avez compris la suite...
Pas de fée, pas de vœu !
Pas de vœu, pas d'enfant !

« Quand même, se disaient notre roi et notre
reine, il doit bien en rester une quelque part,
au moins une. Les parents de Blanche-Neige
ont eu ce qu'ils voulaient, eux ! »
Et pour mettre toutes les chances de leur côté,
au cas où une fée traînerait dans les parages,
ils s'exerçaient tous les jours à prononcer
une formule magique d'un conte d'autrefois.

La reine, qui aimait l'été, criait aux nuées :
« Comme j'aimerais avoir une petite fille
aux cheveux blonds comme les blés,
aux yeux bleus comme le ciel, à la voix
douce comme la brise sur les moissons.
Fleur de soleil serait son nom ;
dans mon cœur, cela voudrait dire
fille de l'été… »

Le roi, qui aimait l'automne, criait aux forêts :
« Comme j'aimerais avoir une petite fille
aux cheveux roux comme le feuillage,
aux yeux marron comme la noisette,
à la voix forte comme l'orage sur la vigne.
Pétale de feu serait son nom ;
dans mon cœur, cela voudrait dire
fille de l'automne... »

Ça commençait mal :
ils n'étaient pas
vraiment d'accord !

Quelques années passèrent ainsi.
Et puis un beau jour, enfin, nous n'étions pas loin de Noël, leurs paroles arrivèrent chez une bonne fée. Mais les mots avaient beaucoup voyagé.
Ils s'étaient usés aux ailes des oiseaux, aux mâts des bateaux. Il fallait de bonnes oreilles pour les entendre.
Le problème, c'est que notre bonne fée était aussi une très vieille fée.

Alors ?

Alors, elle a fait ce qu'elle a pu.
Elle a plissé ses yeux.
Elle a retroussé son nez.
Elle a attrapé deux ou trois mots à la volée.
« Blond ou blanc (elle ne savait pas trop)...
fort... orage... »
Quelques mots, ce n'était pas suffisant.
Et puis, en plus, elle préparait
les fêtes de Noël.

Alors, forcément, dans sa tête,
tout s'est mélangé.

Et il arriva ce qu'il devait arriver : notre roi
et notre reine eurent une petite fille
aux cheveux tout blancs, aux yeux tout blancs
et dont la voix ne faisait pas plus de bruit
que la neige qui se pose sur les toits.
Ils la nommèrent Flocon d'Argent.

Dans leur cœur, cela voulait dire
fille de l'hiver.

Au début, ils ne s'étaient pas inquiétés
et s'étaient dit :
« Tous les enfants doivent naître ainsi.
Laissons-la grandir. Elle fera
comme les arbres qui verdissent,
comme les tomates qui rougissent
et comme les poires qui jaunissent. »
Mais le temps passait et
rien ne changeait !

De son côté, Flocon d'Argent trouva vite des inconvénients à sa drôle de couleur.
Le blanc, c'est drôlement salissant !
Il faut se laver plusieurs fois par jour.
Que faire ? Rappeler la bonne fée ?
Ah, non ! par exemple.
Elle avait fait assez de bêtises !

Alors quoi ?

Dans un conte d'autrefois, tout aurait été
plus simple : Flocon d'Argent aurait vécu dans le
calme d'un grand château blanc,
au milieu des statues de marbre blanc,
des bosquets de lilas blanc, des oiseaux blancs,
des draps blancs séchant sur l'herbe…
Et cela, jusqu'à l'arrivée d'un prince charmant
destiné à lui donner des couleurs
ou celle d'un magicien plus dégourdi
que la vieille fée.

Mais est-ce que c'était bien raisonnable,
au début du troisième millénaire,
d'attendre les bras croisés
qu'un petit blondinet ou qu'un grand brun
costaud, la casquette à l'envers, franchisse
les grilles du château sur sa trottinette en criant :
« Salut, c'est moi le Prince charmant ! » ?

Non, ce n'était pas raisonnable.
Et Flocon d'Argent le savait bien.
Alors, elle décida que ça suffisait comme ça.
Puisque les fées étaient trop vieilles,
et les magiciens introuvables,
elle se débrouillerait toute seule...

Le jour de son douzième anniversaire,
Flocon d'Argent alluma son ordinateur.
Puisqu'elle était une princesse moderne,
elle utiliserait des moyens modernes.
Finis les fées sourdes et les mots qui voyagent mal. Avec l'internet, le message qu'elle allait envoyer au monde entier serait clair,
net et sans équivoque...

En attendant d'être connectée,
elle réfléchissait à ce qu'elle allait écrire :
« Princesse sans couleur cherche idée géniale pour ne plus être toute blanche. »
Non, ça ne donnait pas envie de répondre.
Et puis pourquoi « géniale » ?

Une bonne idée ou même juste une idée,
ce serait déjà bien.

Elle envisagea un autre message :
« Princesse bien embêtée d'être tombée
sur fée gâteuse cherche personne
plus maligne pour réparer ses bêtises. »
Non, ça n'allait pas non plus...
Ce n'était pas très gentil pour la vieille fée
qui avait fait ce qu'elle avait pu, la pauvre...
Et puis, si par hasard elle était
l'arrière-arrière-arrière-grand-mère
d'une jeune fée moderne, susceptible
et branchée sur l'internet,
vous imaginez un peu la gaffe !

Non, non. Il fallait trouver autre chose.
Mais quoi ? Comment formuler sa demande
sans vexer personne, sans pleurnicher
et en donnant aux gens envie de répondre ?

Il lui fallut une bonne demi-heure
de réflexion avant de taper sur le clavier :

SUPER CAGNOTTE DE LA FOIRE AUX IDÉES !
CINQUANTE MILLIONS À QUI TROUVERA
COMMENT DONNER DES COULEURS
À UNE PRINCESSE TOUTE BLANCHE.
RÉPONDEZ AUJOURD'HUI MÊME SUR L'INTERNET
ET DEMAIN MATIN, VOUS CONNAÎTREZ
LE GRAND GAGNANT...

Elle relut trois fois son texte en hochant la tête de satisfaction : « Ça, c'était une bonne formulation ! » Elle éteignit son ordinateur.

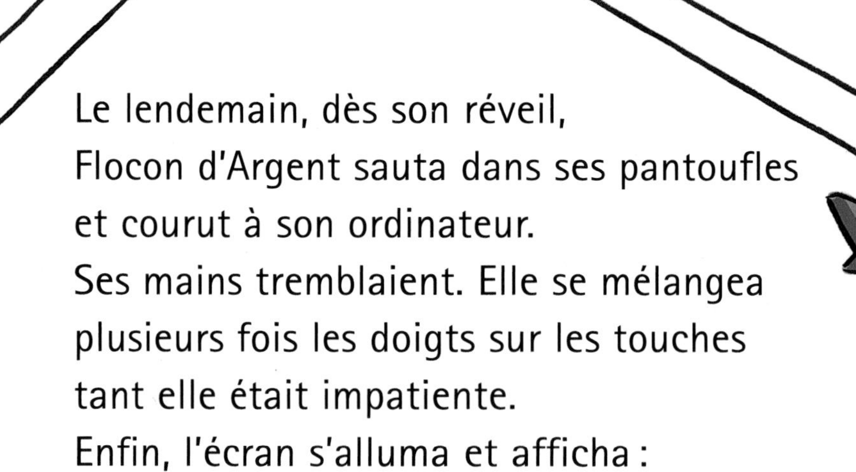

Le lendemain, dès son réveil,
Flocon d'Argent sauta dans ses pantoufles
et courut à son ordinateur.
Ses mains tremblaient. Elle se mélangea
plusieurs fois les doigts sur les touches
tant elle était impatiente.
Enfin, l'écran s'alluma et afficha :

CONSULTEZ VOS NOUVEAUX MESSAGES.

Elle en devint
rose d'émotion.

Elle cliqua. En plein milieu de la page, elle lut :

VOUS AVEZ

16897846997545688963347858637537

NOUVEAUX MESSAGES.

« Waouh !!! pensa-t-elle, rouge de plaisir, comme le monde est grand ! » Le cœur rempli d'espoir, elle cliqua sur la commande :

LIRE TOUS LES MESSAGES.

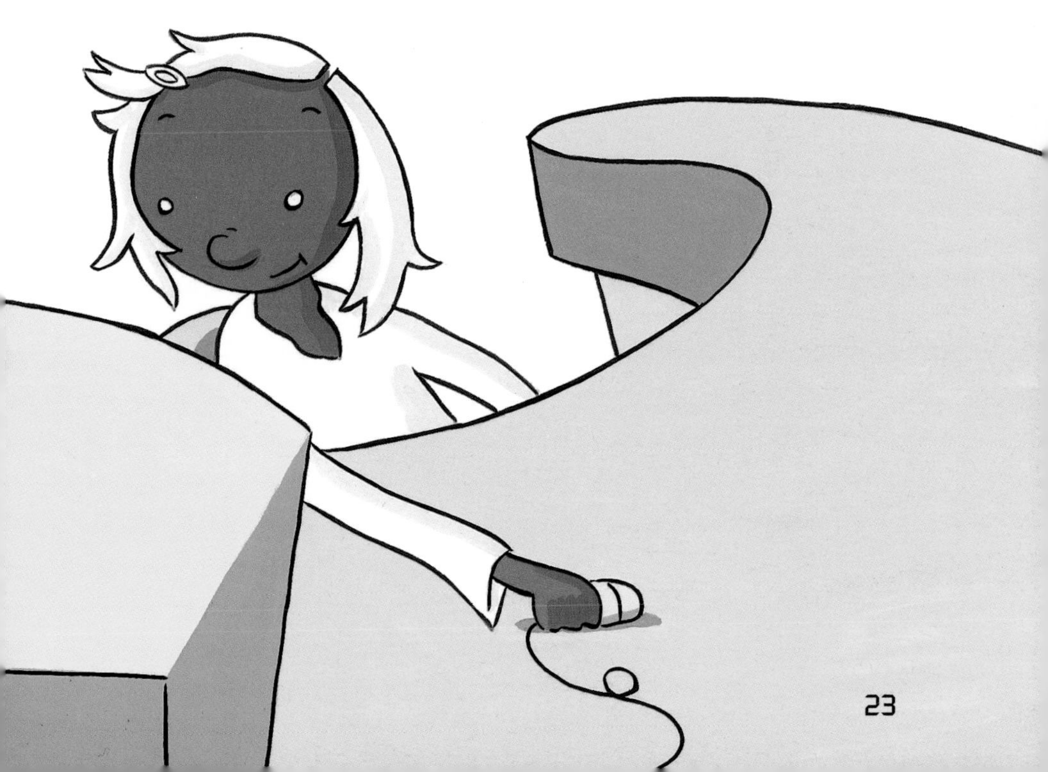

Seulement, là, il ne se passa rien. Mais rien de rien. L'écran restait bloqué sur :

LIRE TOUS LES MESSAGES.

Elle cliqua une deuxième fois,
puis une troisième, cliqua, recliqua.
Toujours rien. Elle donna un petit coup sur l'ordinateur, un grand coup, deux grands coups. Rien encore... Elle s'affola.
Tous ces messages, ces milliards de milliards de messages, si près d'elle, cachés juste derrière l'écran !

Elle n'allait donc pas pouvoir les lire ?

Elle en était verte de peur.

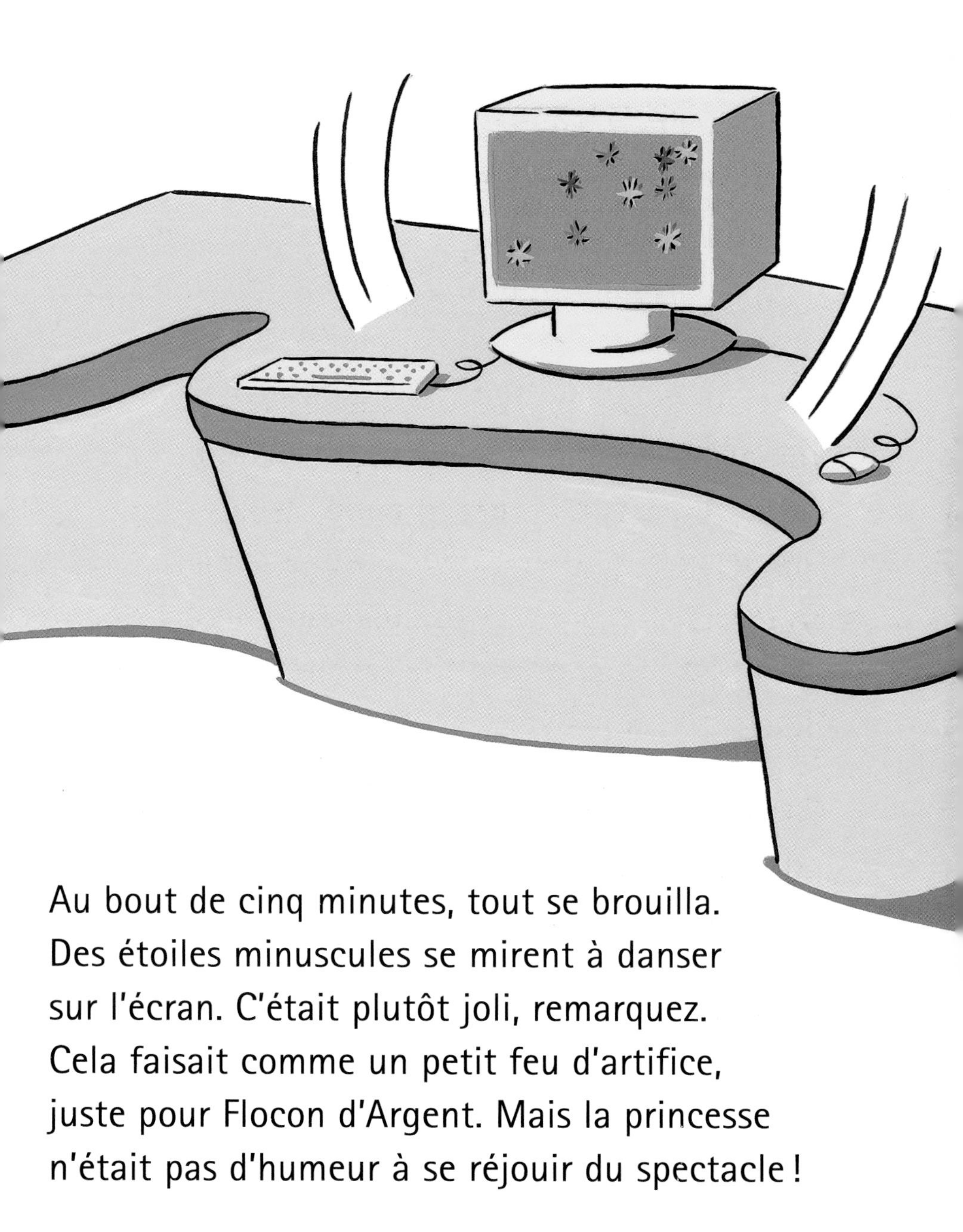

Au bout de cinq minutes, tout se brouilla. Des étoiles minuscules se mirent à danser sur l'écran. C'était plutôt joli, remarquez. Cela faisait comme un petit feu d'artifice, juste pour Flocon d'Argent. Mais la princesse n'était pas d'humeur à se réjouir du spectacle !

Puis les étoiles se rangèrent à la queue leu leu, pour former des lignes de toutes les couleurs. Des lignes qui montaient, qui descendaient, qui s'organisaient en rond, comme pour dessiner un visage, puis en triangle, au-dessus de ce visage... Et cela faisait un peu penser à un chapeau...

Mais pas à n'importe quel chapeau.
Pas un chapeau de jardinier, ni un chapeau de cow-boy. Encore moins une casquette ou un bonnet de nuit. Non, non.
Un chapeau POINTU !
Vous voyez ce que je veux dire, un chapeau comme celui d'une f…

Le cœur de Flocon d'Argent se mit à battre très fort. Elle colla le nez sur l'écran pour mieux voir. Mais les lignes n'arrêtaient pas de bouger et le visage s'allongeait, rapetissait, devenait très gros ou très maigre comme dans la galerie des glaces déformantes d'une fête foraine.

Tout à coup, un drôle de bruit se fit entendre... C'était quelque chose qui ressemblait à **WUUUUHHH**, puis à **toutoutoutou** puis enfin on entendit un énorme **Sproutch** et l'écran devint tout blanc.
Un blanc de banquise au pôle Sud.
Et un silence...

« Nom d'une truffe ! hurla Flocon d'Argent au comble de la fureur. Un mega bug ! »
Et elle entra dans une colère noire, tellement noire qu'elle en devint toute noire.

Mais le plus étonnant dans l'affaire,
c'est qu'elle avait hurlé.
Hurlé vraiment, elle dont la voix
ne faisait pas plus de bruit
que la neige qui se pose sur les toits.

Émerveillée, elle répéta : « Nom d'une truffe ! »
Elle avait une voix ! Est-ce que, quelque part
dans le monde, il existait encore une fée,
toute jeune, pas sourde du tout, avec un clavier
en guise de baguette magique ?

Intriguée, Flocon d'Argent se pencha
vers son écran tout blanc.

Comme dans un miroir, elle se vit dedans.
Et devinez quoi ?
Un peu du rose de son émotion était resté sur ses joues ; le rouge de son plaisir s'était fixé sur ses lèvres ; le vert de sa peur avait coloré ses yeux et le noir de sa colère s'était accroché dans ses cheveux.

Alors, fée sur la toile ou pas,
cela lui fit un gros bouquet de joie...
Elle se rebaptisa Lætitia ;
dans son cœur, cela voulait dire *bonheur*.

Entre nous, elle a drôlement bien fait !
Parce que, Flocon d'Argent,
pour une princesse moderne,
c'est un peu démodé,
vous ne trouvez pas ?